바다가 쓰는 물고기

바다가 쓰는 물고기

발　행 | 2024년 8월 20일
저　자 | 뽈난붕어
펴낸이 | 한건희
펴낸곳 | 주식회사 부크크
출판사등록 | 2014.07.15.(제2014-16호)
주　소 | 서울특별시 금천구 가산디지털1로 119 SK트윈타워 A동 305호
전　화 | 1670-8316
이메일 | info@bookk.co.kr

ISBN | 979-11-419-0100-4

바다가 쓰는 물고기

뿔난붕어 지음

차례

바다가 쓰는 소설에 주인공이 되었다.
난 바다를 사랑했지만, 바다에게는 첫사랑이 있었다.
바다에서 나가려고 했다.
하지만 이미 바다에 깊이 빠져 버렸다.
이 깊은 바다에서 나갈 수 있을까?
혹시 바다도 나를 사랑하지 않을까?

제 **1**화 물고기와 달토끼

평소와 다를 바 없는 그런 평범한 날이 있지 않은가?

그날도 그러했다. 단지 나의 꿈을 포기하려 했던 밤이었을 뿐.

난 어렸을 때부터 배구선수가 꿈이었다. 나에겐 특별한 재능이 있는 것은 아니었지만 그렇다고 포기하기엔 내가 유일하게 잘하는 것이었다. 솔직히 초등학교 때까지는 난 무조건 배구선수가 될 운명이라고 믿었다. 하지만 중학교에 입학한 이후 내 꿈은 정말 꿈이 되어버렸다. 이뤄지길 바라지만 닿을 수 없는 것처럼 멀고 까마득해져 버린 꿈처럼. 나는 내 꿈을 이루고 싶어. 어른들에 조언을 구하려 했다. 선생님과, 부모님은 나에게

"다른 길이 있을 수 있어. 좋아하는 일을 직업으로 했을 때 더 이상 즐겁지 않을 수 도 있어."라고만 하셨다.

그 이야기는 나에게 별 도움이 되지 않았다.

난 그날 밤 밖에 나가 정자에 앉아 생각해 보았다. 어른들에 조언은 참으로 일관성 없구나. 분명 초등학생 때는 자기의 꿈을 도전하고 포기하지 말라 하였으면서 중학생 때는 안 될 꿈 붙잡지 말라는 건가 싶어 너무 어이가 없어. 웃음이 나왔다.

 그때 정자 계단에 작은 토끼가 올라와 앉았다. 정말 사람 같이 앉아 있는 뒷모습을 보고 놀라서 "헉." 소리를 내버렸다. 토끼는 뒤 돌아보더니 나에게 말을 걸기 시작했다. 주황빛, 반짝이는 눈동자에 정말 하얗고 고운 털을 가진 토끼를 보고 난 눈을 뗄 수 없었다.

"넌 왜 포기하지 않아?" 토끼에 물음에 나는 토끼가 사람 말을 했다는 것도 까먹은 채 대답했다. "뭘?" 그러자 토끼는 말했다.

"내가 본 사람들은 포기가 용기인 줄 알고 포기하고, 포기 하더니 결국엔 그게 인생인 줄 알더라. 너도 별반 다르지 않을 줄 알고 지켜봤는데, 넌... 뭔가 달라. 그러니 내가 도와줄게. 이 배구화를 신고 배구를 해봐. 그럼 너에 인생이 달라질 수도 있어. 난 갈게. 몰래 달에서 빠져나와서 빨리 돌아가야 하거든"

 그렇게 토끼는 달 쪽으로 뛰어가더니 살아졌다.
집에 가서 배구화를 살펴봤지만, 그저 평범한 배구화일 뿐이었다. 인생이 달라질 수도 있다는 말에 의미도 계속 생각해 봤지만 결국 깨닫지 못했다. 하지만 연습 경기를 하던 중 그 말의 의미를 깨달았다. 토끼가 준 배구화를 신고 배구를 하니까 몸이 가볍고 높이 뛰어지고 실력도 확실히 높아졌다. 배구부 부원들과 선생님께선 어떻게 된

일이냐고 물어보셨지만 딱히 설명할 말도 없어서
"열심히 노력하니까 됐나 봐요"라고 거짓말을 해버렸다.
토끼가 한 말이 이거였나? 실력이 높아져서 배구를 포기
하지 않아도 되는 내 인생을 뜻하는 것으로 생각했다. 그
이후 난 배구 연습을 열심히 하지 않았다. 배구화만 있으
면 내 실력은 필요 없다고 생각했기 때문이다.

제**2**화 바다와 함께

배구화를 사용하고 일주일 뒤

나에겐 많은 변화가 생겼다. 이젠 경기도 많이 나가고 나로 인해 우리 팀은 매일 이겼다. 그리고 강주화라는 후배도 만났다. 첫만남은 나에게 소설 주인공이 되달라고 부탁하던 순간이었다. 주화는 나보다 한살 어린 14살이다. 하지만 소설가의 재능이 뛰어나 이미 여러 책을 낸 것으로 우리 학교에서 유명하다. 또 첫사랑을 못 잊어 연애도 못한다는 것은 전교생이 거의 다 아는 사실이었다. 주화는 하교하던 나를 붙잡고 이야기를 했다.

"제 소설 주인공이 되어주세요." 너무나 당돌한 그의 말에 당황하며 물었다.

"왜? 난 딱히 쓸 내용이 없을 텐데? 그리고 그런 거 부담스러워서 난 잘 못해. 미안 다른 사람 찾아봐."

난 거절하고 집으로 갔다. 집으로 돌아와 침대에 누우며 온종일 생각했다. '하필 나인 이유가 뭘까?' 물어보지 못한 것을 후회하기도 했다.

다음날 평소와 같이 남사친인 정혁이와 점심을 먹던 중이었다. 정혁이와는 어렸을 때부터 소꿉친구로 서로 모르는게 없을 정도로 친하다. 난 정혁이에게 어제 일을 털어 놓았다.

그러자 정혁은

"너한테? 바보같이 수락한 건 아니지?"

"네가 상관 할 일 아니잖아! 내가 수락했을 수도 있지!"

순간 욱해 말을 내뱉어 버렸다. 근데 언제부터 들었는지 갑자기 주화가 밥 먹는 내 옆에 앉더니

"수락하신 거였어요?"라고 미소 지으며 말했다. 난 너무도 당황해 "어? 어.." 하며 얼버 무리자, 정혁이 대신 말을 꺼냈다.

"너가 주화구나. 안녕. 왜? 조아를 소설의 주인공으로 하려는거야?"

"조아 선배가 배구를 하는 모습을 보고 난 뒤에 알 수 없는 영감이 자꾸 떠올라요. 그래서 전 지금 조아 선배가 필요해요."

단호하게 말하는 주화의 모습은 14살이라고 믿기지 않을 만큼 멋있고 어른스러웠다. 그 모습 때문인지 난 한번 주화에 부탁을 들어주기로 마음먹었다.

"그래. 한번쯤은 그런 경험도 괜찮겠지. 그 소설의 주인공이 될께"

"선배. 고마워요!"

그렇게 말하는 애를 보고 어제 어떻게 거절했나 내가 신기했다.

그날 정혁이는 나에게 괜찮냐고 물었지만, 안 괜찮을 게 있나 싶다. 억지로 하는 건 아니니까. 어쩌면 난 처음부터 그 부탁이 싫지 않았나 보다.

주화는 무리한 요구를 하진 않았다. 연습하고 있으면 옆에 쪼그려 앉아 글을 쓰고 있는 것과 하교 할 때. '배구를 시작한 이유, 배구가 좋은가.' 그런 사소한 질문만 물어봤다. 이게 도움이 되나 싶어질 정도였으니까. 계속 같이 붙어 다니면서 느낀 건데 주화는 남자인데 참 곱게 생겼다. 하얀 피부에 손은 연필밖에 안 잡아 봤을 것 같이 상처 하나 없는 가늘고 예쁜 손이고 짙은 검정 머리카락에 단정한 교복. 누구나 본받고 싶어 할 것 같은 그런 애였다. 그래서 그런가. 나는 주화를 볼 때마다 심장이 두근거리고 얼굴이 빨개져 화끈거리기까지 했다.

그저 평소처럼 앉아서 글을 쓰고 있는 주화에게 다가가 차가운 초코우유를 주화에 볼에 가져다 댔다. 주화는 화들짝 놀라며 고개를 내 쪽으로 돌리고서는 말했다.

"깜짝아! 선배, 차가워요."

토끼 같이 눈을 크게 뜨고 다급하게 말하는 그 모습이 귀엽고 사랑스러워서 내 심장은 멈출 생각을 안 했다. 난 정신을 차리고

"미안. 너 더워 보이길래 이거 마시라고. 초코우유 좋아해?"

순간 주화는 씁쓸한 표정으로

"네.. 초코우유 좋아해요.."

이유는 모르겠지만 그런 표정을 짓는 이유가 뭔가 궁금했다. 하지만 물어보지 않았다. 왠지 물어보면 안 될 것 같았다. 그래도 초코우유를 좋아한다는 건 진심인 것 같았다. 주화를 좋아하는 마음은 확실해졌고 난 고백하기로 마음 먹었다. 의도적으로 잘해줬다. 조금이라도 나와 같은

마음이기를 빌면서 잘 챙겨줬다.

내가 주화를 좋아하는구나 깨달았던 그날 밤

내가 학교를 마치고 놀이터를 지나갈 때 골목에서 토끼가 나타나. 날 골목으로 불렀다.

"잘하고 있어? 보니까 확실히 배구는 잘하고 있는 것 같고. 그리고 너 요즘 재밌는 거 하더라?"

토끼의 말에 난 물었다.

"뭘 말하는 거야? 배구는 잘하고 있는데."

"너 그 누구냐? 강..주화?.. 걔 소설에 주인공을 해주고 있던데. 게다가 강주화 좋아하고. 너 그거 다 내 도움인 거 알지? 내가 그 배구화를 줘서 너가 경기에서 활약하니까 걔가 너한테 흥미가 생긴 거잖아."

"너 내가 주화 좋아하는 건 어떻게 아는 거야?"

"너희 사람 마음 읽는 게 달에서는 제일 쉬워. 그리고 주화가 초코우유를 좋아하는 이유는 첫사랑이 예전에 많이 줬기 때문이야. 가야 해. 오늘도 몰래 나왔거든. 좀 더 재밌게 해줘. 조아, 또 봐."

토끼는 이번에도 달을 향해 뛰어가더니 살아졌다. 주화가 초코우유를 좋아하는 이유가 첫사랑 때문이구나. 씁쓸하다. 내가 상관 할 일이 아니라는 게 더 속상하다. 그리고 또 마지막에 의미심장한 말을 하고 갔다. 재밌게 해줘? 뭘 재밌게 해 달란 거지 생각하며 골목을 빠져나와 놀이터 쪽으로 향할 때였다. 놀이터 그네에 앉아 있는 주화를 발견하고 반갑게 뛰어가 옆 그네에 앉으며 대화했다.

"주화야 여기서 뭐 해?"

"그냥, 여기 있으면 소설 내용이 좀 더 잘 생각나거든요."

"그래?... 주화야 궁금한 게 있는데. 내가 주인공인 소설에 내용이 뭐야?"

"다 완성되고 알려 드릴게요. 미리 알면 재미없잖아요."

하며 웃는 그 모습이 달에 비춰 신비한 느낌까지 났다. '넌 알까? 웃는 그 모습이 얼마나 아름다운지?' 그런 생각이 들자 나는 순간 충동적인 말을 해 버렸다.

"주화야 나 너 좋아해"

한번 뱉은 말은 주워 담을 수 없다는 걸 난 왜 생각하지 못했을까. 주화에 곤란하다는 표정을 보며 살짝 후회했다.

"선배, 죄송해요. 선배도 아시잖아요. 저 첫사랑 못 잊은 거. 선배에 대한 호감이 없는 건 아니에요. 근데 이런 작은 마음 가지고 선배를 만나기엔 선배는 너무 착해요."

"그래도! 난 너 계속 좋아할래. 너도 내가 소설 주인공 안 하겠다고 했는데 계속 끈질기게 부탁했잖아. 나도 그럴 거야.

난 도대체 무슨 자신감인가 뻔뻔스럽게 말했다. 오는 사람 안 말리고 가는 사람 안 말리는 게 내 신념이었는데 그 신념조차 깰 만큼 넌 나에게 큰 존재 인건가?

"선배, 그게 무슨 논리에요."

난 대꾸하지 않고 일어서서

"내일 학교에서 봐."

하고 집으로 뛰어갔다. 집으로 들어갔더니 엄마가 냉장고에 초코우유를 한 박스 사다 두신 걸 보고 난 주화가 떠올라 얼굴이 빨개졌다. 침대에 누워서도 주화가 생각났다. 그네에서 웃던 그 얼굴이 잊히지 않는다. 고백한 걸 후회하지 않을 것이다. 내가 잘해주면 주화도 언젠간 날 좋아할 것 같다는 알 수 없는 자신감이 있었기 때문이다.

-다음날-

난 오늘 최대한 예쁘게 꾸미고서 예쁜 말투도 연습했다. 학교에 들어가자 마자 정혁이는 나를 놀려댔다.

"이조아, 왜 이렇게 꾸미고 왔냐? 큭큭큭"

"야 나 예뻐? 주화한테 잘 보여야 하거든."

"너 주화한테 뭐 잘 못했냐?"

"아니. 주화 좋아해서."

"너 주화 좋아한다고? 걔 첫사랑 못 잊은 거 전교생이 다 아는데 그래도 좋아한다고?"

"응, 내 마음은 확실해. 나도 네가 첫사랑이었는데. 이제 너 안 좋아하잖아. 그러니까 주화도 그럴 거야."

"아니, 그건 초등학생 때니까. 몰라, 네 맘대로 해라!"

난 고정혁이 왜 이렇게 화를 내는지 모르겠다. 그래서 그냥, 외로운 거구나 생각했다. 나는 주화를 만날 때마다 말을 걸고 먹을 걸 줬다. 그때도 그런 날 이었다.

"주화야~ 초코우유 먹어~"

그날도 어김없이 초코우유를 줬는데

"선배, 초코우유는 대체 어디서 가져 오시는 거에요? 제가 선배 거절했는데 왜 자꾸 잘해줘요. 안 그래도 돼요."

"아니, 그냥 집에 초코우유도 많고, 잘해주는 건 내 맘이지!"

"선배 얘기 좀 해요."

'내 팔을 잡고 가는 와중에도 왜 난 너의 뒷모습만 보이는 걸까?' 나는 그때 깨달았다. 얘한테 못 벗어 나겠구나.

바다와 함께

주화와 나는 학교 뒤로 갔다.

"선배, 미안하게 왜 그래요?"

"너 어차피 나랑 소설 쓸 거잖아. 그럼 잘해주는 게 좋은 거 아닌가?..."

"그건 맞지만."

그때 때마침 종이 울렸다.

"주화야 종 쳤다. 빨리 들어가자!"

난 주화에 손을 잡고 뛰었다. 주화와 난 바보 같이 웃었다. 그 상황이 웃긴 게 아니라, 주화를 보고 웃었다. 주화는 모르겠지만. '몰라도 돼. 내가 아니까.'라고 생각했다.

제3화 알 수 없는 감정

-전국 경기 선발전-

여기서 이기면 전국 대회에 나갈 수 있다. 서울에 있는 크고 많은 관중이 있는 그곳에서 뛸 수 있다. 난 별로 걱정되지 않는다. 내겐 토끼가 준 배구화가 있으니까, 그것만 있다면 우리 팀은 분명 이길 것이다. 그보다 난 더 중요한게 있다. 바로 주화가 오늘 경기를 보러 오겠다고 한 것이다. 물론 소설을 쓰러 오는 것이겠지만, 아무렴 어떤가 보러 온다는 게 중요한 것이지. 나는 팀원들과 가볍게 몸을 풀고 상대편과 인사를 하며 준비하고 있었다. 그때 관객석에서 주화를 발견하고 반갑게 손을 흔들었다. 주화도 수줍게 손을 흔들어 줬다. '정말 열심히 해야지.' 마음속으로 다짐했다. 경기가 시작되고 역시 배구화 덕분인지 나는 연속 득점에 성공했다. 그리고 결과는 2대0으로 우리 팀이 승리했다. '전국 경기에 나가는구나.' 나는 안도감인지 기쁨인지 모를 눈물이 흘렀다. 작년에는 마지막 내 서브 실수로 1대2로 져서 자책에 눈물을 흘렸는데 이번에는 기쁨에 눈물이다. 눈물을 닦고 주화가 있는 쪽으로 갔다.

주화를 보는데 주화를 보자 왠지 모를 창피함이 몰려왔다. '왜지?, 왜지?' 생각할 겨를도 없이 주화는 내게 말했다.

"선배, 진짜 멋있었어요. 배구도 잘하고 경기도 좋았어요."

"어?... 고마워. 주화야 미안한데, 잠깐만"

난 곧장 화장실로 뛰어가 헛구역질을 계속했다. 칭찬을 받았는데 그 칭찬이 내 것이 아닌 기분이고 이겼는데 진 기분이었다. 도대체 뭐가 잘못된 걸까? 이건 졌을 때보다 더 치욕스럽고 창피한 기분이었다. 이상하게 주화를 볼 때부터 그랬다. 나는 감정을 추스르고 주화에게 갔다. 아직 창피한 느낌은 계속 났다. 그렇지만 내색하지는 않았다. 주화는 걱정스러운 듯 내게 괜찮냐고 물었다. 난 별일 아니었다고 말한 뒤 주화와 함께 체육관을 빠져나왔다. 아직도 그 감정이 왜 들었는지는 모른다.

경기가 끝나고 3일 뒤

나는 방학 때 정말 재밌게 놀기로 했다. 물론 주화와 함께 말이다. 나는 놀러 다니면서 힐링하고 주화는 그런 나를 쓰기로 하였다. 이번에야말로 고백에 성공 하겠다는 마음가짐으로 열심히 계획하였다. 여름 방학인 만큼 첫날은 바다를 가기로 하였다. 주화와 함께 계획을 짜는 일은 너무나도 즐거웠다.

-여름방학 1일차-

주화와 함께 당일치기로 우리는 전라남도에 있는 바다에 가려고 한다. 일찍 만나서 버스 타고 가기로 하여 난 먼저 도착해 기다리고 있었다. 그때 멀리서 주화가 보였다. 깔끔한 흰색 티셔츠에 푸른 청바지를 입고 있었다. 교복을 입지 않은 모습을 처음 봐서 그런가 색다른 모습에 나는 설렜다.

"선배, 오늘 더 예쁘네요."

난 그 말에 얼굴이 빨개져 고개를 돌렸다.

"고마워. 너도 예뻐."

내 말에 주화는 웃으며 내 팔을 잡고 버스로 들어갔다.

"주화야, 창가 쪽에 앉을래? 글쓰기 편할 거야 풍경도 보고."

"감사해요. 선배"

주화는 창가 쪽에 앉고 나는 통로 쪽에 앉았다. 버스가 출발하고 주화는 풍경을 보며 글을 썼다. '넌 풍경이 눈에 들어오냐, 난 너밖에 안 보이는데'라고 생각했다. 사실 원래 풍경을 안 보지만. 그래도 주화랑 있어서 풍경을 조금이라도 보는 것이다. 난 그대로 주화의 어깨에 기대었다. 주화는 당황하면서도 어깨를 기대게 해주었다. '그렇게 착해서 어떡할래.' 생각하다가도 '착하니까 나랑 있는 거겠지.' 한다.

"선배, 피곤하세요?"

"응, 넌 되게 열심히 하네"

"열심히 해야죠!"

당연하듯 말하는 널 보고 '이미 유명하면서 엄청 노력하네.' 생각했다.

"네가 쓴 첫 소설을 봤는데, 너랑 안 어울리게 침울한 내용이더라. 그때 힘들었어? 아님, 상상력인가?"

주화는 씁쓸한 표정을 지었다. 또 그 표정이다. 물어볼 수도 없게 왜 이렇게 아픈 표정을 짓는 걸까.

"그때 힘들었던 건 맞아요."

"왜냐고 물어보면 안 되는 거지?"

그때, 우린 목적지에 도착했다. 주화는 서둘러 나를 데리고 내렸다. 내리자마자 아름다운 바다가 보였다. 바다를 보고 기쁘게 뛰어가는 주화를 보고 난 차마

되물어 볼 수 없었다.

"선배, 바다가 진짜 예뻐요."

환하게 웃는 너의 모습은 바다와 같았다. 아니, 바다보다 예뻤다. 파도 소리를 들으며 바다를 보고 있는 널 보면 난 마치 물고기가 된 것 같았다. 너라는 바다에 빠지고 싶었다.

"선배, 빨리 와요!"

난 주화에 말에 미소 지으며 뛰어갔다. 우리는 바다에 발을 담갔다.

"주화야"

"네?"

뒤돌아보는 주화에게 나는 물을 뿌리고 도망갔다. 주화는 웃으며 날 잡으려 뛰어오고 있었다. 난 결국 주화에게 손을 잡혔다.

"잡았다. 저 달리기 잘해요."

주화의 말에 나는 주화의 손을 잡은 채 말했다.

"우리 꼴이 말이 아니다. 옷 갈아입자."

우린 샤워장에서 빠르게 옷을 갈아입고 집으로 가는 버스에 올랐다. 주화는 피곤했는지, 내 어깨에 기대어 잤다. 조용히 자는 그 모습이 아기 같았다. 난 자는 주화의 머리카락을 조심스럽게 정리 해주었다. 이렇게 예쁜 네가 뭐가 힘들었을까. 그럴수록 난 주화가 궁금해졌다. 내 욕심인걸 알면서도 포기하지 못했다. 주화와 나는 버스에서 내려 각자의 집으로 갔다. 집으로 가는 길에는 네가 말 못 한 힘든 일이 무슨 일인지 궁금했는데 침대에 누워서는 바다를 보고 미소 짓는 주화에 얼굴밖에 생각나지 않았다. 이런 게 사랑이구나. '너도 내 생각을 할까?'

알 수 없는 감정

제4화 바다의 첫사랑

-일주일 뒤-

일주일 후 우리는 카페에서 만나기로 했다. 우리는 서로가 사는 집에 중간 지점에 있는 카페에서 만났다. 나는 체크무늬 셔츠에 반바지를 입고 갔다. 난 주화에게 선물 할 향수도 가져갔다. 왜냐면 오늘은 주화에 생일이기 때문이다. 카페에서 커피를 주문하고 앉아 있는데 주화가 걸어 오는 게 보였다. 파란 셔츠에 검은 청바지를 입고 있었다. 나보다 어린애가 왜 이렇게 어른스러워 보이는 걸까. 주화는 복숭아 아이스티를 주문하고 나와 마주 앉았다.

"너랑 닮은 음료수로 주문한다."

"네? 제가 어딜 봐서 복숭아 아이스티랑 닮았어요?"

"너 복숭아 같아. 하얀데 볼은 빨개서."

"그게, 뭐에요."

주화는 부끄러운 듯 말했다. 나는 주화에게 향수를 건네주었다. 주화는 어리둥절해 하면서 물었다.

"이게, 뭐에요?"

"열어봐."

"향수잖아요. 이걸 저한테 왜 주시는 거에요?"

"바보냐, 너 오늘 생일이잖아, 앞으로 그거 뿌리고 다녀. 나 복숭아향 좋아해."

"감사해요."

주화는 손목에 향수를 뿌리고서는 나에게.

"복숭아향이 나요. 선배 그래서 저 복숭아 아이스티 닮았다고 하신 거죠."

난 미소 지으며

"그런 건가 보다."

우리는 즐겁게 이야기했다. 어렸을 적 이야기도 하고, 여러 이야기를 했다. 중간중간 주화에게서 나는 복숭아향도 좋았다. 난 주화를 집으로 데려다주려고 같이 주화에 집 쪽으로 향했다. 근데 주화에 집 앞에 여자애가 있었다. 주화는 그 여자애를 보더니 얼어붙었다. 그것도 잠시 주화는 여자애에게 달려가 여자애를 껴안았다. 말 안해도 난 알 수 있었다. 그 여자애가 주화에 첫사랑인 것을. 난 잠시 바라보다 조용히 자리를 떠났다. 차마 그 상황에서 고백은 하지 못할 것 같았다. 아직도 은은하게 나는 복숭아 향이 난

다. 아까는 그렇게 좋았는데 지금은 너무나 쓰게 느껴졌다. 집에 가서도 그 향은 계속 났다. 슬프다기보단 아팠다. 이런 일이 일어날 줄은 알았지만, 역시 아프다. 주화에게서 문자가 왔다. '선배, 죄송해요. 감사인사도 안 하고 갑자기 뛰어가서.' 그 문자를 보고 '넌 설명할 생각이 없구나.' 생각 했다.

하지만 나는 '괜찮아, 다음에 보자.' 그렇게 문자를 보낼 수밖에 없었다. 우린 아무 사이도 아니니까. 그 날 밤은 너무나도 길었다.

-개학하기 일주일 전-

예상은 했지만, 주화와는 만나지도 않고 문자도 하지 않았다. 오랜만에 온 첫사랑과 있겠다고는 생각했지만 실제로 그러니 좀 슬펐다. 그래서 나도 오기가 생겨 문자하지 않았다. 그리고 정혁이와 카페에서 만나기로 했다. 정혁이는 나와 같은 커피를 주문했다. 우리 둘은 마주 앉아 이야기 했다.

"정혁아, 나 차일 것 같아."

"이미, 차여 놓고, 뭐래."

"주화 첫사랑이 돌아왔어."

"돌아왔다고? 그럴 줄 알았다. 포기해, 내가 보니까 너만 엄청 매달리던데 그런 사랑을 왜 해."

"그래도, 너무 좋아하는걸 어떡해. 포기 못하겠다고."

"야! 너 호구야? 그럼. 개학하고 나랑 붙어 다녀 개한테 말도 걸지마. 무시해. 그럼 자연스럽게 마음도 멀어지겠지."

"그래야겠지, 알겠어. 고맙다. 나가볼게. 개학날 보자"

정혁은 가려는 날 붙잡고

"슬퍼하지 말고, 다 지나갈 꺼야. 개학 날 봐."

정혁에 말에 난 애써 미소 지었다. 정혁에 말이 맞다. 나만 매달리는 그런 관계가 발전될 리 없다. 여기까지다. 눈물을 흘리며 가는 내 모습이 너무나 비참했다. 토끼는 울고 있는 나를 찾아와 물었다.

"너 왜 그렇게 슬퍼하냐. 사귄 것도 아니면서."

"사람 마음 읽을 수 있다며, 내가 왜 우는지 알 거 아니야."

"아니, 모르겠어. 넌 걔를 원망하지도 싫어하지도 않는데, 오히려 사랑하는데 왜 우는 거야."

난 그 말에 더욱 울었다. 그때 난 보고 말았다. 토끼에 미소를. 소름 끼치게 웃고 있던 토끼는 내가 고개를 들자 무표정으로 돌아왔다. 난 잘못 봤겠거니 하고 물었다.

"내가 배구를 더 잘하면 걔가 날 좋아해 줄까?"

"그럴 수도 있지, 그래도 너 배구 연습 하지마. 너의 실력이 오히려 배구화를 방해해, 알겠지? 난 간다."

또 자기 할 말만 하고 갔다.

-개학-

드디어 개학날이 되었다. 난 학교에서 정혁이와 붙어 다니며 주화를 봐도 인사 하지 않고 말도 걸지 않았다. 주화 옆에는 주화에 첫사랑이 있었다. 그 모습을 보고도 난 왜 오랜만에 주화를 봐서 기쁜지 모르겠다. 정혁이에게 주화의 첫사랑 이름을 물어봤다. 주화의 첫사랑 이름은 '김혜미'였다. 이름도 예쁘고 얼굴도 예뻤다. 나와 다르게 여성스러운 느낌이 확 났다. 짙은 화장이 아닌 자연스러운 화장에 허리까지 내려오는 예쁜 긴 머리를 가진 여자애 었다. 둘은 정말 잘 어울렸다. 둘이 잘 어울린다고 생각하는 내가 바보 같았다. 난 개학하고 일주일 동안 주화를 피해 다녔다. 그럴 때마다 옆에는 늘 정혁이가 있었다. 사실 어렸을 때 내가 정혁이를 좋아했던 이유도 그거 였다. 항상 내 옆에 있어줘서. '넌 중학생이 되도 똑같구나,' 새삼 느꼈다.

-개학하고 일주일뒤-

오늘도 주화를 피해 정혁이와 매점에 가서 이야기를 하고 있었다.

"이제, 주화 안 좋아하냐?"

"아니, 아직 좋아해. 보고 싶어."

"그만 좋아해라. 널 좋아해 주는 사람을 만나야지. 하필 좋아해도 걔를. 처음부터 마음에 안 들었어."

"주화한테 뭐라 하지마. 내가 멋대로 좋아한 거야."

그렇게 아파해도 왜 난 아직도 너를 좋아하는걸까? 그런 생각이 날 때 주화가 어디선가 불쑥 튀어나와 말했다.

"선배, 왜 자꾸 피해 다녀요. 소설 쓰는 거 도와주셔야죠."

나는 그 말에 '소설 때문이구나.' 내심 서운했다. 내가 말을 안 하고 가만히 있자. 정혁이가 대신 말을 꺼냈다.

"이제 조아 안 써도 되지 않아? 김혜미 돌아왔다며."

"혜미가 무슨 상관이에요."

"왜 상관이 없어. 너 지금까지 쓴 모든 소설에 주인공이 '김혜미'였잖아."

나는 순간 당황해 아무말도 할 수 없었다.

"정혁 선배, 솔직히 선배가 상관 하실 일 아니잖아요."

나는 둘에 신경전을 끝내고 싶어 다급하게 말했다.

"혁아, 왜 그렇게 말하냐, 오해하게. 주화야 소설 써야지 내가 도와준다고 했으니까. 빨리 쓰러 가자."

나는 주화에 팔을 잡고 도서관으로 뛰어갔다. 도서관에 들어가자마자 주화는 내게 물었다.

"정혁 선배랑 사귀어요?"

"아니, 절대 그럴 일 없어."

당황해 다급히 말하는 나를 보고 주화는 미소 지었다.

주화와 나는 의자에 앉았다. 소설을 쓰는 주화에게서 은은한 복숭아향이 났다. 내가 준 향수였다. '바보, 매일 내가 준 향수를 뿌리라고 했다고 그걸 왜 지키냐.' 그렇게 생각 했지만 사실 좀 기뻤다.

"소설 다 쓸려면 멀었어?"

"빨리 끝내고 싶어요?"

아니다. 끝내고 싶지 않다. 주화랑 더 있고 싶어. 하지만 그럴 수 없다.

"그 정도는 아니지만. 혜미도 돌아왔으니까."

"정혁 선배도 그렇고. 혜미를 왜 말하시는 거에요?"

"너가 혜미 좋아하니까. 소설도 혜미만 쓰는데 내가 방해 하는 건가 싶어서."

"지금까지 혜미만 쓴 건 맞는데. 지금은 선배 쓰고 있잖아요"

"그래서 방해 될까봐 그러는 거지."

"선배, 진짜 눈치 없네요. 지금은 선배 좋아해요."

"뭐?"

너무나 당혹스러웠다. '네가 날 왜 좋아해?' 아무리 생각해도 주화가 날 좋아할 이유가 없었다. 그렇게 생각하던 나는 답을 찾았다.

"주화야, 그거 혜미 없을 때 나랑 있어서 정든 거야."

정든 거라고 믿고 싶었다. 제발 동정심만은 아니길 바랬다.

"네? 선배 무슨 말이에요. 제가 선배를 좋아한다는게 정들어서 그런 거라고요?"

그때 김혜미가 도서관으로 들어왔다.

"주화야~ 어딨어?"

김혜미가 주화를 찾고 있는 소리가 들렸다.

"주화야, 혜미가 찾는다."

주화는 가려는 나를 붙잡고 말했다.

"선배, 왜 못 믿는 거예요?"

"나 이동 수업이어서 가봐야 할 것 같아. 나중에 봐."

나는 도망치듯 도서관을 빠져나왔다. '왜 그런 표정 짓는 거야.' 상처받은 것 같은 표정을 보고 순간 나는 안아서 위로해 주고 싶었다. 사실 주화가 날 좋아한다고 했을 때 기뻤는데 받을 수 없었다. 날 좋아할 이유가 없으니까. 눈물이 복도 바닥에 한 방울 떨어졌다. '네가 날 좋아한다고 혜미 보다 나를 더?' 좋아하는 사람이 고백해도 의심하고 받지 못하는 내가 우스웠다. 내가 비참하게 느껴지던 그날 토끼는 날 찾아왔다.

"너 왜 고백 거절했어? 너도 걔 좋아하는 거 아니

야?"

"속마음 읽을 수 있다며, 내가 왜 이러는지 알 거 아니야."

"아니. 모르겠어. 넌 걔를 싫어하지도 원망하지도 않는데 왜 거절한 거야?"

"나와 주화는 어울리지 않아. 내가 배구를 더 잘하게 되면 주화와 어울리는 사람이 될 수 있을까?"

"내가 생각해도 너가 배구를 잘해야해. 근데 배구 연습은 하지마. 네 실력은 배구화를 방해 할 뿐이야."

토끼는 또 다시 사라졌다.

나도 안다. 내가 아무리 노력해도 재능을 이기지 못한다는 것. '딱 전국 배구 경기 때만 배구화를 사용하자.' 그리고 배구를 포기 할 것이다.

제5화 사랑 찾는 물고기

-전국 배구 경기-

어제 일 때문에 밤에 한 숨도 못 잤다. 주화 때문이라면 주화 때문인데 난 왜 주화가 와줬으면 좋겠다고 생각하는 걸까. 나는 배구화를 꺼내려 가방을 열었다. 배구화가 없어졌다. 분명 어제 저녁에 배구화를 확인하고 잤는데 어디 다 둔 건지 모르겠다. 어떡하지. 난 배구화만 믿고 연습도 하지 않았다. 그런 내가 토끼가 준 배구화도 없이 경기를 잘할 수 있을까?

그렇게 패닉에 빠져 있을 때 경기가 곧 시작한다는 걸 깨 달았다. 그래서 난 남는 배구화를 신고 경기를 했는데. 당연하게도 실력은 연습을 안하는 동안 더 떨어져 결국 지고 말았다. 나는 큰 자책과 절망에 빠졌다. 배구화를 잃어버릴 수도 있다는 생각을 왜 하지 못했을까. 과거에 내가 너무 한심에 차마 고개를 들 수 없다. 코치님은 자책하는 날을 위로해 주셨지만 위로가 되지 않았다. 그래도 주화가 이 경기를 오지 않아서 다행이라는 생각이 들 때 내 앞에 주화가 서있었다.

'네가 왜 여기 있는 거야?' 라고 생각할때 토끼의 목소리가 들렸다.

"네가 주화가 와줬으면 좋겠다고 했잖아. 그래서 내가 불렀어."

그때 난 깨달았다. 배구화를 가져간게 토끼구나.

"도대체 나한테 왜 그러는 거야!"

"그것 보다. 주화가 널 어떻게 생각할까. 배구도 못하고 자책만 하는 너를 주화가 좋아해 주겠어?"

나는 머리가 너무 복잡해서 머리를 움켜 줬다. 그런 날 보고 주화는 내게 다가와 손을 잡아줬다.

"선배 괜찮아요. 다음에 이기면 되죠!"

주화에 손은 시원해서 나에 열을 식혀 주었다. 이 손을 놓고 싶지 않았지만 난 손을 뿌리쳤다.

"주화야, 미안한데 다음에 이야기 하자."

난 모자를 푹 눌러 쓰고 도망치듯 체육관을 빠져 나왔다. 난 항상 왜 도망치는 걸까. 난 왜 이렇게 태어난 거야. 자책하며 길을 걷는데 주화가 내 뒤를 쫓아왔다.

"주화야, 난 괜찮아."

"선배는 뭐가 자꾸 미안하고 괜찮은데요! 그럴 때마다 답답해요. 이럴 거면 좋아한다고 하지 말지!"

주화에 말에 난 당황했다. 그렇게 화내는 건 처음 포

기 때문이다. 사실 찔려서 그런 거 같다. 주화에 핸드폰에 전화가 왔다. 김혜미인 것 같다.

"혜미야, 왜 그래? 뭐라고? 지금 당장 갈게"

아. 또 이 상황이다. 이러면서 내가 좋다고. 금방이라도 울 것 같았다. 난 눈물을 간신히 참으며 말했다.

"너야말로 그럴 거면 좋아한다고 하지 말지. 미안하다. 너는 내가 배구하는 모습을 보면 영감이 떠오른다고 했는데 이제 못 보겠다. 소설 그만하자. 급한 거 같은데 빨리 가 봐."

"선배, 그런 거 아니에요!"

그 말에 난 눈물이 흘렀다. 주화는 그런 날 보고 걱정스러운 듯 다가왔지만 난 뭐가 무서운지 도망갔다. 모자가 떨어지는 줄도 모르고 뛰었다. 이런 바보 같은 나를 보고 실망하진 않았을까 걱정하면서도 차라리 잘 됐다고 생각하는 건 무슨 마음인지. '그 와중에 토끼는 내가 비참할 때 찾아오는구나. 지금도 내 앞에 있는 걸 보면.'

"야. 토끼야 재밌어?"

"음. 재밌긴 한데 원하던 거 만큼은 아니야. 원래는 강주화가 너한테 실망하는 걸 보고 싶었는데."

"내가 너한테 뭘 잘못했냐."

"그건 알 거 없고. 내가 비밀 하나 알려줄게! 사실 강주화도 나한테 소설 잘 쓰게 해주는 연필을 가져

갔거든. 자기 첫사랑을 이루겠다고 했나? 그래서 연필을 줬어! 그리고 뺏었지! 너처럼."

믿기지 않았다. 주화도 나랑 같다고?

"근데. 걔는 연필을 빼서 가도 글을 잘 쓰는 거야. 그래서 너무 화나서 무슨 이유인가 알아 봤더니. 너가 배구를 하는 모습을 보면 글이 잘 써진다더라. 그래서 너를 무너뜨리기로 했어. 네가 배구를 하지 않게 되면 걔도 더 이상 글을 쓰지 못해 불행해질 테니까. 내 예상이 맞았네. 주화는 불쌍하다~ 구원자인 줄 알았던 네가 보잘것없는 애니까.

토끼가 사라진 뒤에도 난 그 자리에 몇 분 동안 서 있었다. 애초에 주화는 배구를 잘하는 날 원한 게 아니었다. 주화도 토끼에게 연필을 받았지만 뺏겼을 때 나와는 달랐다. 나처럼 절망하지도 슬퍼하지도 않았다. 순간 주화에게 미안함이 몰려왔다. 차마 다시 볼 수 없을 것 같았다. 집에 들어가서도 난 주화만 생각났다. 주화는 나에게 문자를 보냈다. '집 앞이에요. 나와 주세요.' 이제 나에게 실망해서 다시는 볼 일 없겠지. 그렇게 생각했다. 근데 너는 항상 내 예상 밖이구나. 난 다급히 정신을 차리고 집을 나왔다. 주화도 급하게 온 것처럼 얇게 입고서 서 있었다. 곧 울 것 같은 표정으로 서 있는 그를 보고 난 걱정스러워 뛰어 내려가 물었다.

"주화야, 무슨 일 있어?"

주화는 아무 말 없이 날 안았다. 아무 말 없는 그를 난 안아 줄 수 밖에 없었다. 옷이 축축해지는 걸 느꼈다. 울고 있구나. 점점 울음이 그쳐가는 그에게 다시 한번 물었다.

"왜 그래? 혜미랑 무슨 일 있었어?"

"선배가 혜미 이야기하는 거 싫어요. 저 이제 혜미 안 좋아해요. 선배 좋아한다고요."

말하면서 울상인 그를 난 꼭 안아줬다.

"미안해, 내가 잘 못 했다. 주화야 나한테 실망했어?"

"아니요. 실망을 왜 해요! 선배 진짜 바보 같아요!."

난 주화에게 모든 걸 말하기로 했다. 주화가 앞으로 보지 말자고 하면 조용히 사라질 것이다.

"주화야, 혹시 말하는 토끼한테 연필 받은 적 있어?."

"선배가 그걸 어떻게 아세요?"

"사실 나도 토끼한테 배구화를 받아서 잠시 배구를 잘하게 된 거였어. 나 사실 배구 잘 못해 그냥 하고 싶어서 했던 거지."

난 지금 까지 있었던 모든 일을 말했다. 속이 후련했다. 더 이상 주화에게 숨기고 싶지 않았다. 주화는 아직 정리가 잘 안되는 것 같았지만. 난 주화에 말을 따를 것이다.

"주화야, 미안해. 난 배구 그만 둘거야. 그러니까 소설도 그만하자."

난 이게 맞다고 생각했다. 주화라면 내가 아니더라도 소설을 잘 쓸 수 있을 것이다. 이제 그만 할 때가 왔다.

"미안하면 배구 계속해요! 미안하면 포기하지 말고 소설도 계속 쓰게 해 달라고요! 진짜 이기적이에요. 토끼보다 선배가 더 미워요!"

그렇게 말하고서는 그는 손으로 얼굴을 가리고서 계속 울었다. 우는 모습도 예쁜 너는 가로등에 비춰 나에게 온 천사라고 생각했다. 우는 모습도 예쁘지만 그 예쁜 눈에서 더 이상 눈물이 흐르지 않길 원했다. 난 주화에 손을 잡고 말했다.

"주화야, 같이 해보자. 사실 나도 포기하고 싶지 않아."

우리 둘은 정말 많이 울었다. 지금까지 주화에게 너무 많은 상처를 주지 않았는가. 그 상처를 앞으로 메꿀 것이다. 너는 나에 구원자야. 우린 서로를 놓아주기에는 너무 멀리 왔어.

"선배, 좋아해요. 저 선배 남자친구 하고 싶어요."

그렇게 예쁘게 말하는 너를 보면 난 살아있음을 느껴.

'넌 바다고 난 물고기구나. 너랑 있어야 난 숨을 쉴 수 있어.'

"그래, 나도 좋아해."

우린 정말 바보 같이 울다가 웃었다. 우린 다정하게 안아주고 집으로 갔다. 난 아직도 믿기지 않는다. 주화랑 내가 사귀는 사이라고? 너무 좋아서 그날은 오랜만에 편하게 잤던 것 같다.

제6화 바다와 물고기

-다음날-

학교를 가려 문을 열었는데 앞에는 주화가 서있었다. 교복을 단정하게 입고는 나에게 다정하게 말했다.

"선배, 같이 갈려고 기다리고 있었어요."

웃으며 말하는 너를 보고 조금은 실감이 났다. 너랑 사귄다는 걸. 주화는 당연하다는 듯이 손을 내밀었다. 난 부끄러웠지만 손을 맞잡고 학교로 걸어갔다. 학교에 들어가서는 나는 주화에게 반에 들어가기 싫다고 장난치다가 주화는 날 한번 안아주고 가버렸다. 귀엽다고 생각할 때 쯤 정혁이가 주화와 사귀냐고 물었다.

"응, 나 주화랑 사겨."

"그렇게 힘들어 했으면서 왜 사귀냐"

"혁아, 사랑이 좋긴 하더라."

"와, 근데 걔 혜미는 어떻게 됐는데?"

사실. 나도 그게 궁금했었다. 혜미도 주화를 좋아하는 것 같았는데. 주화에게는 물어볼 수 없었다. 괜히 혜미를 이야기해서 분위기를 깨트리고 싶지 않기 때문이다.

"혜미 한달 뒤에 다시 유학 간다더라."

나는 순간 벙 쪄서 아무말도 하지 못했다. 그래도 주화에게는 소중한 친구 일 텐데 솔직히 혜미가 마음에 들지는 않지만 이대로 있을 순 없다.

"정혁아. 너 이번주 토요일에 시간 있냐?"

"시간 있는데. 왜?"

"여행 가자. 주화랑 혜미랑 너랑 나."

"야! 미쳤냐? 커플 사이에 내가 뭐하는데 걔다가 혜미랑도 안 친하다고!"

"가서 친해지면 되지. 가면 2만원 줄께."

"가자. 애들한테도 물어봐. 여행지는 우리 할머니 댁이다. "

난 정혁이와 계획을 짜고 주화에게 물어보러 갔다. '주화가 거절할 거라는 생각은 하지 못했는데 왜. 이런 상황이 됐지?' 주화랑 혜미가 복도에서 보이길래 난 뛰어가 말했다.

"주화야! 혜미야! 우리 여행 가자!"

혜미는 처음 말해 보는 선배가 그러니 당황한 것 같았다.

"싫어요."

단호하게 말하는 주화에게 물어봤다.

"왜?"

주화는 나만 들리게 작게 속삭였다.

"아니. 선배 혜미가 제 첫사랑인 거 알면서도 같이 가고 싶어요?"

"응! 난 괜찮아. 한달뒤에 유학간다며 추억을 만들어 줘야지!. 정혁이도 갈거야."

"정혁 선배도요? 그럼. 혜미한테도 물어볼게요."

주화에 표정이 왠지 삐진 것 같았다. '왜지? 나 뭐 잘못했나?'

다행히 혜미도 가고 싶다고 해주었다. 다 좋아하는데 왜 주화만 표정이 안 좋은 걸까?

"주화야, 왜 삐졌어? 응?"

난 주화를 쫓아 다니며 물었다.

"뭔가 선배가 혜미랑 가고 싶어 하는 것 같아서요."

삐진 주화도 귀엽구나. 뭔가 귀여워서 놀리고 싶었다.

"혜미가 네 첫사랑이라니까 궁금하네. 첫사랑 때문에 내가 고백했는데도 찼잖아."

주화는 당황한 얼굴로 다급히 그런게 아니라고 말하는 모습이 너무 귀엽고 사랑스러웠다. 이러니까 놀리고 싶지. 난 그대로 주화를 안으며

"가서 재밌게 놀자."라고 말하고 수업을 들으러 갔다. 우리는 학교가 끝나고 교문에서 만나기로 했다. 멀리서 주화가 먼저 교문 앞에서 기다리는 걸 보고 난 웃으며 뛰어갔다.

나는 주화와 함께 집으로 향하던 도중 주화는 진지
하게 말을 꺼냈다.

"저 이제 진짜 혜미 안 좋아해요. 미련도 없어요."

"응. 믿어."

주화와 나는 집 가는 길에 있는 인형 뽑기도 하고
자판기에서 음료수를 뽑아 마시기도 하고 지나가던
고양이를 보고 있기도 했다. 주화와 나는 아무 일도
없었다는 듯이 즐거웠다.

-토요일, 여행가는 날-

나와 정혁이는 먼저 와서 기차표를 끊고 기다리고
있었다. 혜미와 주화가 걸어 오는 것이 보였다. 혜미
는 하늘색 원피스를 입고 있었는데 모델이라고 해도
믿을 정도도 예뻤다. 주화 역시 예쁜 청자켓을 입고
온 걸 보고 너무 예뻐서 말이 안 나왔다. "선배~" 하
고 뛰어오는 그 모습이 강아지 같아 귀여웠다.

"혜미야 안녕, 옆에 애는 내 친구 고정혁이야."

"1박 2일 동안 재밌게 놀자. 혜미야."

웃으며 말하는 정혁을 보고 혜미는 왠지 모르겠지만
얼굴이 빨개져 있었다.

"네, 선배."

"그럼. 기차 타러 가자!"

나는 주화와 앉고 혜미는 정혁이와 앉았다. 둘이 어

색하진 않을까 걱정했지만 다행히 정혁이가 잘 말하고 있는 것 같다.

난 옆에 있는 조화를 보고 예전에 바다에 갔을 때가 생각났다. 그때도 소설을 쓰고 있었는데 지금도 쓰고 있는 주화를 보며 난 주화의 한결같음이 좋아서 웃음이 났다.

"왜 웃어요."

"그냥 좋아서. 주화야 나 배구 포기 안 할 거야. 열심히 할 거야. 그래서 이번이 어쩌면 이번 연도에 마지막 여행일 수도 있겠다. 죽어라 배구만 할 거니까."

주화는 그런 나를 흐뭇하게 쳐다보더니 내 어깨에 기대었다.

"선배, 재밌게 놀아요. 그리고 열심히 해요."

주화에 말에 나는 미소 지으며 고개를 끄덕거렸다. 어느샌가 자고 일어나니 목적지에 도착해 있었다. 우리를 깨우는 혜미와 정혁 덕분에 간신히 내릴 수 있었다.

"시골이다. 풍경이 진짜 예쁜데."

나는 감탄하며 말했다. 우리는 정혁에 할머니 댁에 가서 짐을 놓고 산책하고 있었다.

"선배 줄려고 꽃 따왔어요."

주화는 내게 민들레를 줬다. 가늘고 예쁜 손으로 예쁜 것만 만지는 너가 더 꽃 같았다. 나는 꽃을 주화에 머리카락에 꽂았다. 주화는 활짝 웃으며 내게도 해주었다. 정혁이는 우리 둘만 왔냐며 우리를 혼냈다. 그러고는 혜미에 머리카락에 꽃을 꽂아 주는 것이 아닌가. 혜미도 빨개진 얼굴로 정혁이에게 해주는 모습을 보고 너희 둘도 사랑이구나. 생각했다.

우린 노을이 지는 오후에 바베큐 파티를 했다. 너무나도 즐거웠다. 고기를 굽는 정혁과 혜미를 보고 난 왠지 모를 뿌듯함이 느껴졌다. 나는 정혁과 혜미를 둘이 남겨두고 주화와 함께 몰래 빠져나왔다. 주화와 나는 강이 있는 쪽으로 갔다. 멀리서 정혁이가 부르는 소리가 희미하게 들렸지만 무시하고 갔다. 주화와 나는 강에 발을 담구며 앉아서 별을 봤다. 우린 서로의 얼굴을 보고 웃었다. 주화는 우리의 소설 내용을 알려주었다.

"선배가 주인공인 소설 내용은 어항에만 살던 물고기가 바다와 사랑에 빠져 바다로 가기 위한 여정을 썼어요. 많은 방해꾼과 시련을 겪었지만 결국 바다에 도착해 서로를 사랑하는 이야기에요.

그게 내 소설이라면 난 어항에 물고기고 넌 바다일 거야. 너무 깊은 바다여서 내가 감당할 수 있을까 무서웠는데 어쩌면 토끼가 준 시련은 너를 감당할 수 있게 준비하는 과정이었나 보다. 우리가 지금까지 겪은 일은 사랑하기 위함이었나보다.

"누나. 사랑해요."

그 말을 들을 때 무슨 기분인지 알아? 더 이상 너라는 바다에서 나오고 싶지 않아. 바다에 잠겨서 죽는다 해도 괜찮을 것 같아. 너라면 좋아.

"나도, 사랑해."

그때 뒤에서 혜미와 정혁이가 부르는 소리가 들렸다. 우린 뭐가 웃기는지 어린아이처럼 행복하게 웃으며 뛰어갔다.

에피소드

토끼는 행복하게 여행을 즐기는 네명을 산 위에서 지켜보며 뿌듯하게 말한다.

"바보들, 행복해라."

토끼는 달에 돌아가 강주화와 이조아가 써져 있는 종이에 '성공' 이라고 쓰고는 옆에 쓰여져 있는 고정혁과 김혜미를 보고 고민한다.

"어떻게 하지?"

-겨울-

여행을 갔다온 뒤로 나는 열심히 배구 연습을 하고 주화는 소설을 완성해 출판하였다. 주화에 소설은 큰 인기를 얻었고, 나 역시 노력한 끝에 다시 한번 전국 배구 대회 나가 5등을 차지하였다.

혜미는 유학을 갔고, 정혁은 혜미가 유학 간 뒤로 혼자 하늘을 바라보는 시간이 많아졌다. '너희는 지금이 시작이구나' 느껴졌다. 나와 주화는 앞으로도 사랑하고 노력할 예정이다. 난 앞으로도 바다가 쓰는 소설에 물고기가 될 것이다.

작가의 말

저는 중학교 2학년입니다. 제가 소설을 쓰게 된
계기는 많은 고난과 시련을 겪으며 사랑하는 로맨스
소설책을 읽고 저도 한번 고난과 시련을 겪는 사랑
이야기를 써보고 싶다고 생각했습니다. 하지만 저는
아직 어리기에 그런 사랑은 해본 적이 없었습니다.
또한 첫 소설이기에 소설을 어떻게 쓰는지 기초도
몰랐습니다. 하지만 너무나도 쓰고 싶었던 마음에
무작정 캐릭터만 정하고 손이 가는 데로 썼습니다.
이 소설에 주인공인 이조아는 제가 꿈을 가져도
이룰 수 없을 것 같을 때를 생각해서 쓴 인물입니다.
저는 실패가 두려워 도전하지 않습니다. 무엇을 먹을
때도 다른 맛을 시도 하기 보단, 원래 알고 있는
맛만 먹는 사람입니다. 그래서 저는 늘 저를
자신감을 불어 넣어주고 실패해도 다시 도전할
용기를 줄 그런 사람이 있기를 바랐습니다. 그리고
그 이유로 인해 강주화라는 인물이 만들어졌습니다

이 책은 도전을 싫어하는 사람이 도전하여 만든
책입니다. 꿈을 이루는 과정이 마냥 순탄하진 않을
것입니다. 하지만, 포기하지 않고 다시 일어나길
바라는 마음입니다. 가만히 앉아 이뤄지기만을
바란다면 이뤄질 수 없을 것입니다. 만약 다시
일어서기 힘들다면 도움을 줄 수 있는 사람을
찾으세요.
모든이에 꿈이 이뤄지길 진심으로 바랍니다.

-뿔난붕어-